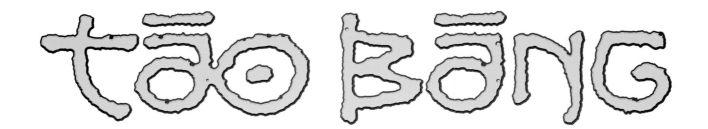

1. LE SEPTIÈME CERCLE

DESSIN & COULEURS
DIDIER CASSEGRAIN

DESIGN
FRED BLANCHARD

SCÉNARIO
OLIVIER VATINE & DANIEL PECQUEUR

DELCOURT

Pour Pascal and the gang !
F. B. et D. C.

Merci à Edith Wolbert et Philippe Naulot.
O.V.

Dans la même série :
Tome 1 : Le Septième cercle
Tome 2 : L'Île aux sirènes

Du même scénariste, chez le même éditeur :
• Golden Cup (deux volumes) - dessin de Henriet
• Golden City (cinq volumes) - dessin de Malfin

Aux Éditions Petit à Petit :
• La Cour des grands (trois volumes) - collectif

Chez Dargaud Éditeur :
• Cargal (quatre volumes) - dessin de Formosa
• Thomas Noland (cinq volumes) - dessin de Franz
• Marée basse - dessin de Gibrat

Aux Éditions Jcer :
• Les Méandres de l'Histoire (l'histoire de Rouen en BD)

Label dirigé par Fred Blanchard et Olivier Vatine

© 2005 Guy Delcourt Productions

Tous droits réservés pour tous pays.
Dépôt légal : janvier 2005. I.S.B.N. : 2-84789-688-0

Conception graphique : Trait pour Trait
Lettrage : Laurence Cassegrain

Achevé d'imprimer en décembre 2004
sur les presses de l'imprimerie Lesaffre, à Tournai, Belgique.
Relié par Ouest Reliure à Rennes.

www.editions-delcourt.fr

DAME ELLORA ! DAME ELLORA !

HM...

UN BATEAU VIENT D'ENTRER AU PORT ! EST-CE QUE JE DEMANDE AUX FILLES DE SE PRÉPARER ?

TSS !... TSS !... ADINATH, MON PETIT, SI TU OB-SERVES ATTENTIVEMENT SES ARMOIRIES, TU VERRAS QUE CE NAVIRE FAIT PARTIE DE LA FLOTTE D'AD ARPHAX, LE CHEIK DRAGON...

... ET ÇA M'ÉTONNERAIT BEAUCOUP QU'IL AUTORISE UN DE SES ÉQUIPAGES À VENIR FAIRE LA FOIRE CHEZ UNE CONCURRENTE !

AH, ZUT...

ET MOI QUI PENSAIS QUE LES AFFAIRES REPRENAIENT !

CAPITAINE, *LE CHEIK* DÉSIRE S'ENTRETENIR AVEC VOUS DÈS QUE POSSIBLE !

LIEUTENANT, OCCUPEZ-VOUS DU DÉCHARGEMENT PENDANT MON ABSENCE !

ENTREZ, CHER AMI...

... ASSEYEZ-VOUS...

ALORS... QUE ME RAMENEZ-VOUS DE VOTRE TOURNÉE DANS LES COMPTOIRS D'ORIENT ?

SUFFISAMMENT DE VIN DE PALME ET D'ALCOOLS DIVERS POUR REMPLIR LES CAVES DU *SEPTIÈME CERCLE* JUSQU'À LA SAISON PROCHAINE, SEIGNEUR !

PARFAIT, MES CLIENTS RAFFOLENT DE CES BOISSONS EXOTIQUES... PENCHANT QUE JE PARTAGE, D'AILLEURS !...

... À PROPOS : AVEZ-VOUS PENSÉ À MA PETITE COMMANDE ?

À LA VÉRITÉ, SEIGNEUR, LA PRODUCTION D'*ESSENCE DE CYCAS* A ÉTÉ DÉSASTREUSE CETTE ANNÉE ET JE N'AI PAS TROUVÉ CE QUE VOUS M'AVIEZ...

MENSONGE !

4

6

...MENSONGE LOUABLE, CERTES, PUISQUE VOUS ESSAYEZ DE SOUSTRAIRE DEUX DE VOS MATELOTS AU CHÂTIMENT QU'ILS MÉRITENT...

...MAIS *MENSONGE* TOUT DE MÊME!

PUISQUE VOUS AVEZ EU CONNAISSANCE DE CE LARCIN, VOUS SAVEZ AUSSI QUE J'AI FAIT METTRE AUX FERS LES COUPABLES!

C'EST *À MOI* DE DÉCIDER DES PEINES ENCOURUES ET DE LEUR APPLICATION, CAPITAINE...

... *À MOI* QU'IL APPARTIENT DE STATUER SUR LEUR SORT... ET LE VÔTRE!...

...À MOI DE TRANCHER!!

LIEUTENANT!...

...EXCUSEZ-MOI, JE VOULAIS DIRE *"CAPITAINE"*; PAR ORDRE DU CHEIK, VOUS VENEZ DE PRENDRE DU GALON!...

?!

K ... KESH ...
JE GLISSE !!

ENCORE
DEUX PETITES
SECONDES !

TIENS BON,
MOUSSAILLON !

!!

OUF ! J'AI BIEN
CRU QUE CE SAGOUIN
N' ALLAIT PAS ME
LÂCHER ! ...

OUAIP ! Y'A PAS
À DIRE, IL AVAIT L' AIR
TRÈS ATTACHÉ !

HA ! HA ! HA !

ATTENTION !
DEVANT ...

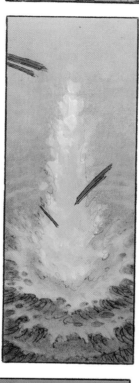

13

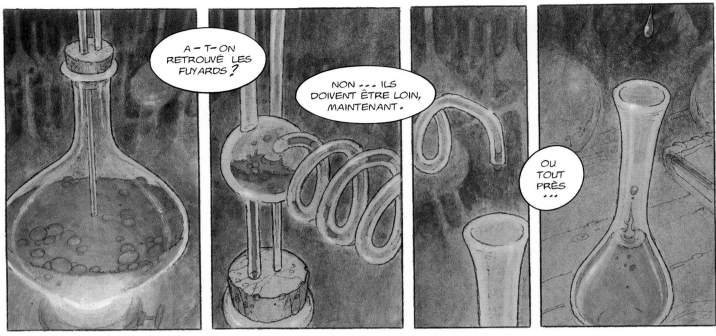

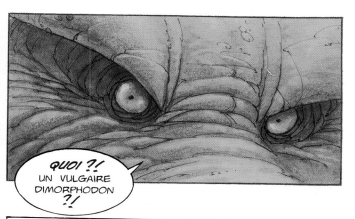

QUOI ?! UN VULGAIRE DIMORPHODON ?!

JUSTEMENT !... QUI IRA IMAGINER QUE CE VOLATILE EST EN RÉALITÉ UN *ESPION* DÉVOUÉ À VOTRE ÉMINENCE ?

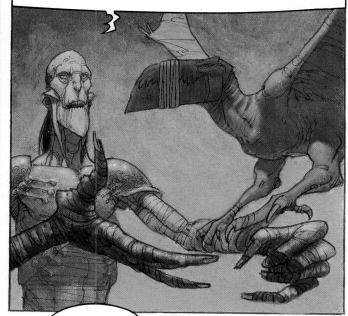

DANS CE CAS, MES *PATROUILLES* FINIRONT BIEN PAR LES DÉBUSQUER !

IL Y A PEUT-ÊTRE UN MOYEN PLUS *RAPIDE !*

LEQUEL ?

EXPLIQUE-TOI, *NAGAR*...

J'AI AMÉLIORÉ SON POTENTIEL PSYCHIQUE EN AUGMENTANT SA MÉMOIRE VISUELLE ET AUDITIVE, ET EN LE DOTANT DE LA *PAROLE !*... RAPIDE ET DISCRET, C'EST UN PARFAIT PETIT *MOUCHARD !* IL SUFFIT D'ÔTER CE LIEN À SON RETOUR DE MISSION POUR QU'IL FASSE SON RAPPORT !

CELUI-LÀ !

13

15

RAPIDEETDISCRET
CESTUNPARFAITPE
TITMOUCHARDILSUF
FITDÔTERCELIENÀ
SONRETOURDEMIS
SIONPOURQUILFAS
SESONRAPPORT !

POUR L'AMOUR D'ASTORETH, FAIS DONC *TAIRE* CE MOULIN À PAROLES !

COT ?

UNE DOUZAINE D'ENTRE EUX SONT EN MESURE DE COMMEN - CER LES RECHERCHES IMMÉDIATEMENT !

14

16

« FORT BIEN... FAIS COMME TU L'ENTENDS... POUR L'HEURE, JE ME RETIRE DANS MES APPARTEMENTS. »

« QUE LA NUIT VOUS APPORTE SÉRÉNITÉ, Ô REFLET DES DIEUX. JE ME CHARGE DE *RETROUVER* VOS FUGITIFS. »

18

19

ET VOUS, CHÈRE ENFANT, SI VOUS NOUS PARLIEZ DU DIFFÉREND QUI OPPOSE *AD ARPHAX* À VOTRE CHARMANTE PATRONNE ?

EUH... EH BIEN... JE NE SAIS PAS SI JE DOIS...

ADINATH, HMM ?

BON, D'ACCORD, MAIS PROMETTEZ-MOI DE FEINDRE L'IGNORANCE LORSQUE DAME ELLORA VOUS CONTERA CE RÉCIT À SON TOUR !

PROMIS, PAR KERNOK !

POUR BIEN COMPRENDRE LA SITUATION ACTUELLE...

...IL FAUT REMONTER AUX ORIGINES DE LA DYNASTIE DES ELLORA À LA FIN DU SIÈCLE DERNIER.

...A L'ÉPOQUE, *XARNATH* N'ÉTAIT QU'UN PETIT PORT DE PÊCHE...

ET ELLORA - PREMIÈRE DU NOM - ALORS ADOLESCENTE, AVAIT LA CHARGE DES FOURNEAUX DE LA TAVERNE FAMILIALE...

APRÈS LE DÉCÈS DE SES PARENTS - QU'ELLE AVAIT MALENCONTREUSEMENT INTOXIQUÉS EN LEUR SERVANT UNE FRICASSÉE DE PALOURDES AVARIÉES - ELLE HÉRITA DE L'ESTAMINET QU'ELLE TRANSFORMA EN CABARET, PUIS EN MAISON DE PASSE...

...AVEC L'OUVERTURE DE NOU-
VELLES ROUTES MARITIMES, LE
VILLAGE DEVINT BIENTÔT UN HAUT
LIEU D'ÉCHANGES AVEC L'ORIENT
... LES CARAVANES VENANT
DES DÉSERTS DE L'EST SE FIRENT
PLUS FRÉQUENTES ET LES COMP-
TOIRS COMMERCIAUX POUSSÈRENT
COMME DES CHAMPIGNONS.
... PENDANT CETTE PÉRIODE,
ELLORA II — L'AÏEULE DE NOTRE
PATRONNE — FUT LA FAVORITE D'UN
RICHE NÉGOCIANT QUI FIT CONS-
TRUIRE POUR ELLE LE PALAIS
OÙ NOUS SOMMES ACTUELLEMENT,
LA MARÉE GALANTE ...

...AINSI QUE L'IMMENSE STATUE
LA REPRÉSENTANT À L'ENTRÉE
DU CHENAL.

...LA MARÉE GALANTE CONNUT SES JOURS FASTES SOUS
L'AUTORITÉ INSPIRÉE DE LA MAMAN DE DAME ELLORA — UNE
SAINTE FEMME, KERNOK LA TIENNE EN SON ROYAUME! —

HÉLAS, LE CONSEIL DES DOGES — GERROTHORAX
CALCINE L'ÂME DE CES BIGOTS — MIT FIN À CET
ÂGE D'OR EN ENGAGEANT UN PRÉVÔT POUR MET-
TRE BON ORDRE AU COMMERCE DE LA CHAIR ...

...ET CETTE FONCTION FUT
ATTRIBUÉE À *AD ARPHAX!*

À TAAAABLE!!

SLURP !
BAFRH !

MUNCH !
MUNCH !
BURP !

VOUS REPRENDREZ BIEN UN PEU DE RAGOUT DE MÉGATHÉRIUM AUX PETITS PIMENTS ?

AVEC PLAIJIR - GLOUP! - CH'EST UNE PURE DÉLECTACHION !

MAIS ÇA VOUS ESSORE LA LUETTE !

AAAAH, MERCI MON PETIT ...

... ALORS, NOUS EN ÉTIONS RESTÉS À L'ARRIVÉE DU CHEIK .

ARRIVÉE QUI FUT SUIVIE DE PRÈS PAR CELLE DE *KÜTÜB-ÜK-TÜGLAT-NAGAR*, LE NÉCROMANT ...

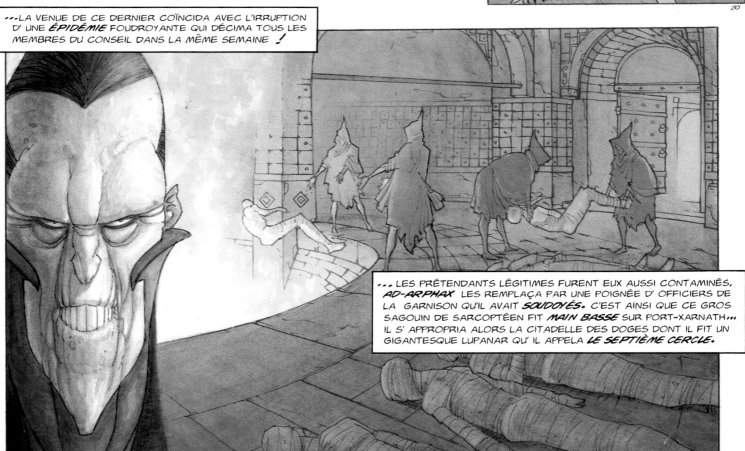

... LA VENUE DE CE DERNIER COÏNCIDA AVEC L'IRRUPTION D'UNE *ÉPIDÉMIE* FOUDROYANTE QUI DÉCIMA TOUS LES MEMBRES DU CONSEIL DANS LA MÊME SEMAINE !

... LES PRÉTENDANTS LÉGITIMES FURENT EUX AUSSI CONTAMINÉS. *AD-ARPHAX* LES REMPLAÇA PAR UNE POIGNÉE D'OFFICIERS DE LA GARNISON QU'IL AVAIT *SOUDOYÉS*. C'EST AINSI QUE CE GROS SAGOUIN DE SARCOPTÉEN FIT *MAIN BASSE* SUR PORT-XARNATH... IL S'APPROPRIA ALORS LA CITADELLE DES DOGES DONT IL FIT UN GIGANTESQUE LUPANAR QU'IL APPELA *LE SEPTIÈME CERCLE*.

MMMH... ÇA SENT BON !

BAS LES PATTES !... CE N'EST PAS POUR TOI, TU AS DÉJÀ MANGÉ.

SLURP !

JUSTE UN PEU, POUR GOÛTER...

TCHOUIC !

AH LÀ LÀ !... QUEL GOURMAND, CELUI-LÀ. ADINATH, VA LUI CHERCHER UNE ASSIETTE.

JE PEUX M'ASSEOIR ICI ?... ÇA NE VOUS DÉRANGE PAS ?

PAS DU TOUT, AU CONTRAIRE MONSIEUR... EUH... COMMENT ?

NORDEN.

ENCHANTÉ ! MOI C'EST KESH, ET LUI, KIRIN NOUS SOMMES MARINS, ET VOUS ?

OH MOI, JE BRICOLE...

C'EST L'HOMME À TOUT FAIRE DE LA MAISON ! LE CHAMPION DU LAVABO BOUCHÉ ! LE VIRTUOSE DE LA FUITE D'EAU ! PAS UN ROBINET GRIPPÉ NE LUI RÉSISTE !... IL RÉPARE TOUT RAPIDEMENT ET GRATIS !... EN ÉCHANGE, ON LUI OFFRE LE GÎTE, LE COUVERT...

... ET LE POURBOIRE EN NATURE.

23

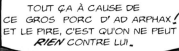

24

27

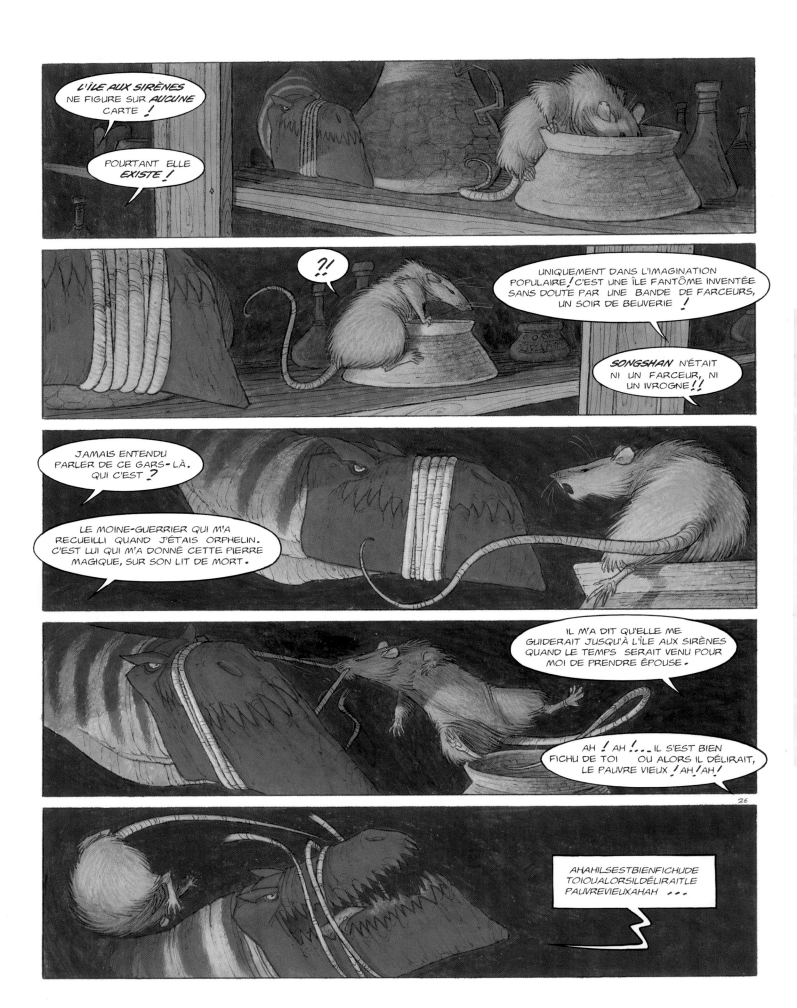

SONGSHANNÉTAIT

?

?

?

?

NIUNFARCEUR

SALETÉ DE BESTIOLE! IL VA EN METTRE PARTOUT DANS MA CUISINE!

C'EST BIEN LA PREMIÈRE FOIS QUE JE VOIS UN *DIMORPHODON* QUI PARLE!

MOI AUSSI!... C'EST INCROYABLE!... IL RÉPÈTE MOT POUR MOT TOUTES LES ÂNERIES QUE TU VIENS DE DIRE!

NIUNIVROGNE

CE NE SONT PAS DES ÂNERIES!... L'ÎLE AUX SIRÈNES *EXISTE* VRAIMENT! J'EN SUIS *SÛR*!

AH OUI? ALORS QU'EST-CE QUE TU ATTENDS POUR Y ALLER?

27

POUR ÇA, IL ME FAUDRAIT UN *BATEAU*!... MAIS COMMENT L'ACHETER? JE N'AI PAS UN SOU.

C'ESTLUIQUIMADONNÉ

CETTEPIERREMAGIQUE.

GROUILLE ! FAUT EMBARQUER EN VITESSE AVANT DE SE FAIRE REPÉRER PAR LES SOLDATS D'*AD ARPHAX* !

TU CROIS QU'ILS NOUS RECHERCHENT TOUJOURS ?

J'IMAGINE QUE OUI ! ILS N'ONT PAS DÛ APPRÉCIER QU'ON LEUR AIT FILÉ ENTRE LES PATTES, HIER APRÈS-MIDI !...

... ET S'ILS NOUS TOMBENT DESSUS, ON VA PASSER UN SALE QUART D'HEURE !

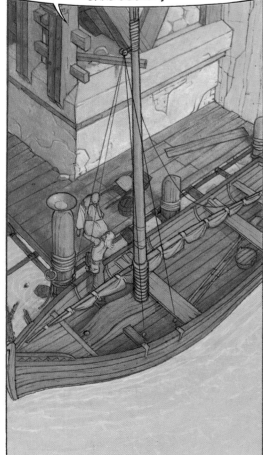

ÇA M'ÉTONNERAIT QU'ON EN RENCONTRE À UNE HEURE AUSSI MATINALE !... TOUTE LA VILLE ROUPILLE ENCORE, ET EUX AUSSI, SANS DOUTE !

... À MON AVIS, ON NE RISQUE RIEN D'AUTANT QUE PLUS PERSONNE NE VIENT DANS CETTE PARTIE DU PORT DEPUIS QU'ELLE EST À L'ABANDON ! C'EST DU MOINS CE QUE M'A ASSURÉ *DAME ELLORA* !

LA PAUVRE ... QUAND JE PENSE QUE TU LUI AS SOUTIRÉ SES *DERNIÈRES ÉCONOMIES* POUR TE PAYER CE RAFIOT !

28

JE NE LUI AI RIEN SOUTIRÉ DU TOUT ! C'EST ELLE QUI M'A PROPOSÉ DE M'AIDER, NUANCE !... EN ÉCHANGE, JE LUI AI PROMIS DE LUI *RAMENER* DES SIRÈNES !

LEQUEL DES DEUX A LA PIERRE DONT VOUS M'AVEZ PARLÉ ?... LE PLUS VIEUX ?

30

NON !.. D'APRÈS LES RENSEIGNEMENTS FOURNIS PAR LE DIMORPHODON, C'EST L'AUTRE ! IL S'APPELLE KIRIN.

IL FAUT QUE JE LE *SUPPRIME* ?

DÉBROUILLEZ-VOUS COMME VOUS VOULEZ, ÇA M'EST ÉGAL !.. TOUT CE QUE JE VEUX, C'EST LA PIERRE !.. JE COMPTE SUR VOUS, *TAO BANG* !

POURQUOI N'ENVOYEZ-VOUS PAS PLUTÔT VOS GARDES ARRÊTER CE KIRIN ? ÇA IRAIT PLUS VITE !

OUI, MAIS CE SERAIT MOINS DISCRET !.. ET JE NE TIENS PAS À CE QU'ELLORA SE DOUTE DE QUELQUE CHOSE !

C'EST POURQUOI J'AI BESOIN DE VOUS !.. JE VOUS PAIERAI *CENT MILLE RECAS* POUR ÇA. VOUS LES TOUCHEREZ LORSQUE VOUS M'APPORTEREZ LA PIERRE !

PAS QUESTION !.. JE VEUX LA MOITIÉ DE LA SOMME *MAINTENANT* ET LE RESTE À LA *LIVRAISON* !.. JE TRAVAILLE TOUJOURS COMME ÇA. DEPUIS LE TEMPS QUE VOUS FAITES APPEL À MES SERVICES, VOUS DEVRIEZ LE SAVOIR !

C'EST À PRENDRE OU À LAISSER !... JE VOUS DONNE CINQ MINUTES POUR RÉFLÉCHIR !

PAS LA PEINE, C'EST *NON* !

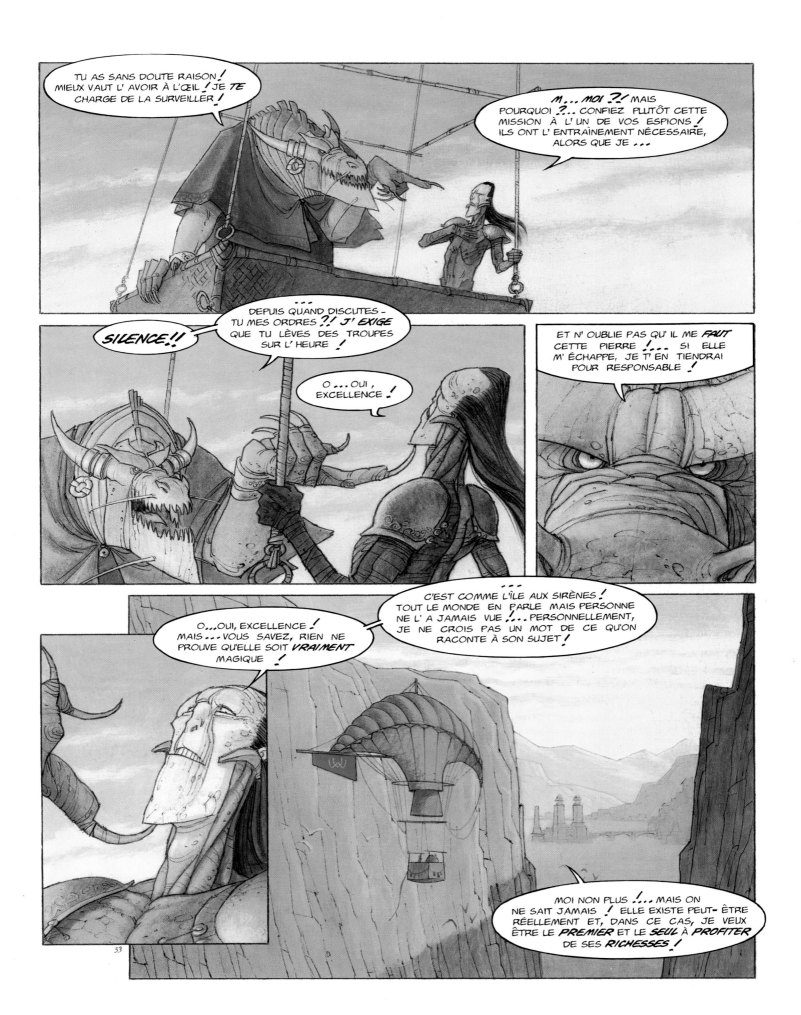

34

36

DANS MES BRAS, MA BELLE ! ÇA FAIT COMBIEN DE TEMPS QU'ON NE S'EST PAS VUS ? DEUX ANS ?

OW !

NON, TROIS !!

T'ES DINGUE ! ÇA FAIT MAL !

MOI, ÇA ME SOULAGE ! J'ATTENDAIS ÇA DEPUIS SI LONGTEMPS !

RESPIRE FORT, ÇA VA PASSER !

MON MAÎTRE SONGSHAN A BIEN RAISON DE DIRE QUE LA FEMME EST UNE VIPÈRE DONT ON NE SE MÉFIE JAMAIS ASSEZ !

TOI, LE CHAUVE, ON T'A PAS SONNÉ ! ALORS FERME-LA ET ENVOIE LA PIERRE MAGIQUE !

POURQUOI ELLE M'APPELLE COMME ÇA ?

FAIS PAS ATTENTION , ELLE EST EN COLÈRE !

JE SUIS PAS CHAUVE !

MAIS NON, T'ES JUSTE UN PEU DÉGARNI, C'EST TOUT !

41

42

C'ÉTAIT IL Y A TROIS ANS...

... À L'ÉPOQUE, NOUS ÉTIONS *INSÉPARABLES*, NORDEN ET MOI.

D'OÙ VIENNENT-ILS ?...

D'UN VILLAGE PERDU DANS LA MONTAGNE ; C'EST LÀ QUE NOUS LES AVONS CAPTURÉS !...

... ILS SONT TOUS EN BONNE SANTÉ, ROBUSTES ET TRÈS RÉSISTANTS !

C'EST BON ! JE VOUS LES ACHÈTE AU PRIX CONVENU.

VOUS FAITES UNE AFFAIRE, CROYEZ-MOI !... ÇA FERA D'EXCELLENTS ESCLAVES, PARFAITS POUR LES TRAVAUX PÉNIBLES !

AVANCEZ.!... PLUS VITE QUE ÇA, BANDE DE FAINÉANTS !

JE REPASSERAI PAR ICI LE MOIS PROCHAIN !... SI VOUS EN CAPTUREZ D'AUTRES, METTEZ-LES MOI DE CÔTÉ !

D'ACCORD ! COMPTEZ SUR NOUS !...

SI ÇA CONTINUE COMME ÇA, ON SERA BIENTÔT *RICHES* !

ALERTE ! PIRATES PAR TRIBORD ARRIÈRE !!

À L'ABORDAGE !!

CONTENTE DE VOUS REVOIR ! TOUT A MARCHÉ COMME PRÉVU EN GRANDE PARTIE GRÂCE À VOUS ! VOUS AVEZ BIEN JOUÉ VOTRE RÔLE : LE MARCHAND D'ESCLAVES N'Y A VU QUE DU FEU !

TENEZ ! ÔTEZ VOS CHAINES !... ON VA FÊTER ÇA ET PARTAGER L'ARGENT QUE NOUS A RAPPORTÉ CETTE PETITE ARNAQUE !

《... ARNAQUE QUE NOUS AVONS RENOUVELÉE AVEC SUCCÈS PLUSIEURS FOIS AU COURS DES MOIS SUIVANTS, JUSQU'AU JOUR OÙ ... 》

DESCENDS DANS LA CALE LIBÉRER NOS AMIS ! MOI JE VAIS VOIR S'IL N'Y A PAS DE L'OR PLANQUÉ DANS LES CABINES !

PITIÉ...JE SUIS LA NIÈCE DU CAPITAINE ! NE ME TUEZ PAS, JE VOUS EN SUPPLIE ! JE FERAI *TOUT* CE QUE VOUS VOUDREZ ...

?!!

TOUT ?!! VRAIMENT ?

SI JE GÊNE, DIS-LE !

VOUS DEUX, JETEZ-MOI CETTE MIJAURÉE *PAR-DESSUS BORD* !!!

GRMBL !

PAS QUESTION ! PERSONNE NE TOUCHERA À CETTE PAUVRE FEMME SANS DÉFENSE ! OU ALORS, IL FAUDRA ME PASSER SUR LE CORPS !

JE PRÉFÉRERAIS PASSER SUR LE SIEN !

LA NUIT SUIVANTE, NOUS AVONS JETÉ L'ANCRE NON LOIN DE LA CÔTE...LE LENDEMAIN MATIN, PLUS DE NORDEN !... MONSIEUR AVAIT PROFITÉ DE MON SOMMEIL POUR S'*ENFUIR* AVEC SA MIJAURÉE ET MA PART DU BUTIN !

LE SALAUD !!!

PASSEZ-MOI LE *NÉCROMANT* QUE JE LUI FASSE MON RAPPORT !

ISABELLE DETHAN

Mémoire de Sable

2. CITÉ-MORGANE

DELCOURT

Au Brol.

© 1995 GUY DELCOURT PRODUCTIONS

Tous droits réservés pour tous pays.
Dépôt légal : juin 1995. I.S.B.N. : 2-84055-057-1

Lettrage : Jean-Marc Mayer
Conception graphique : Trait pour Trait
Photogravure : Scann 92

Achevé d'imprimer en février 2000
sur les presses de l'imprimerie Lesaffre, à Tournai, Belgique.
Relié par Ouest Reliure à Rennes.

www.editions-delcourt.fr

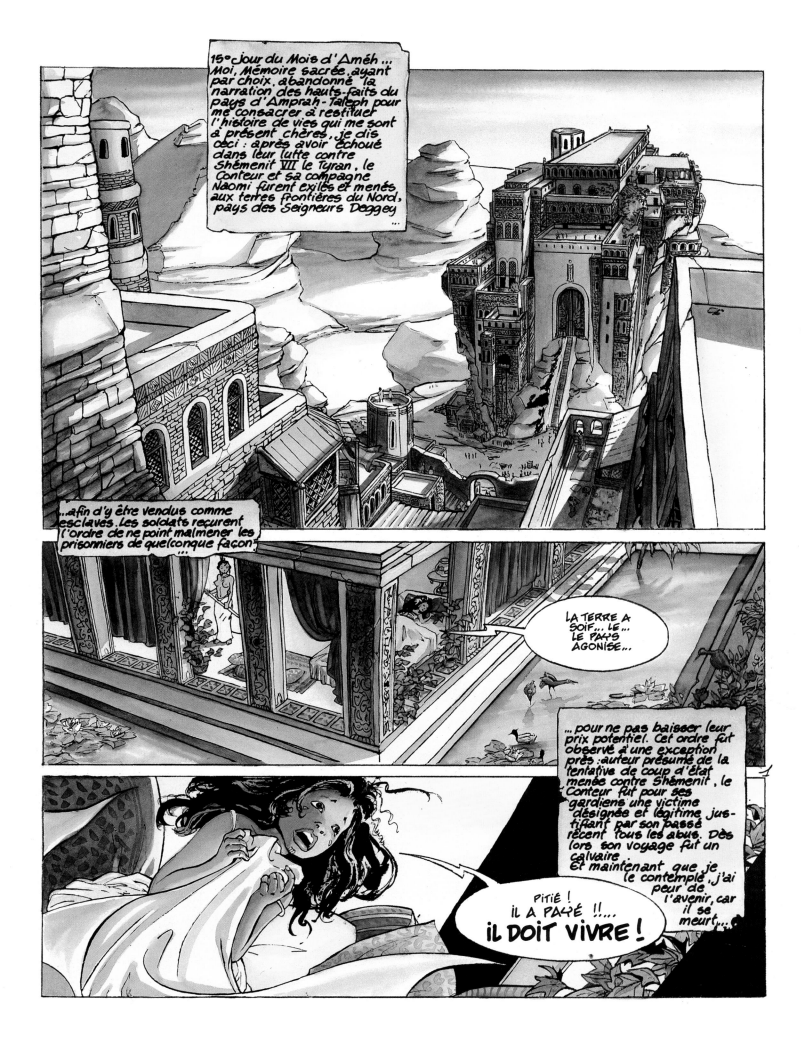

NON! IL VIVRA... IL A L'AIR TRÈS RÉSISTANT, UN ESCLAVE IDÉAL, EN SOMME ...

...HEM ...JE PLAISANTAIS. IL LUI FAUT SURTOUT DE L'EAU!

DE L'EAU! ET COMMENT EN TROUVER ICI? IMPOSSIBLE AVANT CE SOIR!

NAOMI, DIS-MOI... DIS-MOI OÙ NOUS SOMMES ...

DANS LA COUR D'ENTRÉE DU QUARTIER DES ESCLAVES, MÉMOIRE! ET JE VAIS VOUS PROUVER QU'ON PEUT Y TROUVER DE L'EAU!

2

HÉ! MAIS LÂCHEZ-LE! QU'EST-CE QUE ...

...C'EST LA RÈGLE! ET SI TU L'AIMES TON HOMME, TU LUI SACRIFIERAS EN PLUS TES PARTS!

DU CALME! LA COMPTEUSE DES RATIONS D'EAU FAIT SIMPLEMENT SON MÉTIER: UN BRACELET PAR RATION, DEUX RATIONS PAR JOUR EN SUS DES REPAS ...

QU'EST-CE QUE TU INSINUES?

RIEN, MA BELLE, RIEN ... MAIS ON VOIT BIEN QUE TU NE CONNAIS RIEN D'AUTRE QUE LE PARFUM DE LA LIBERTÉ. ICI, IL FAUDRA L'OUBLIER, SE SERRER LES COUDES, ... ET METTRE INTELLIGEMMENT SA FIERTÉ DE CÔTÉ ...

C'EST-À-DIRE?

METS-TOI - ET METS-LE - SOUS LA PROTECTION DE KER, TARMENI COMME TOI ET MENEUR D'HOMMES ...

...JE SUIS SÛRE QUE TU LUI PLAIRAS ...

3

5

ESPÈCE DE PETITE GARCE !!

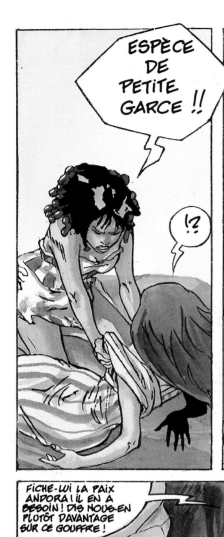

!?

TU ES FOLLE !? ARRÊTE ! EN VÉRITÉ JE DONNERAIS N'IMPORTE QUOI POUR ÊTRE À TA PLACE ET BÉNÉFICIER D'UNE TELLE PROTECTION. TU ES DE SA RACE, C'EST UN PASSE-DROIT IDÉAL POUR VOUS METTRE À L'ABRI TOI ET TON ÉCLOPÉ ! ...

L'ÉCLOPÉ VA ... SE REMETTRE !... INDIQUE-NOUS PLUTÔT UN MOYEN D'ATTENDRE SANS ENNUI MA GUÉRISON ...

CE MIRACLE AURAIT INTÉRÊT À VITE S'OPÉRER, PARCE QU'APRÈS LES FÊTES DE LA LUNE NOIRE, SOIT APRÈS-DEMAIN, ON DESCEND TOUS TRAVAILLER AU GOUFFRE DE LA CITÉ MORGANE, TOI Y COMPRIS !

FICHE-LUI LA PAIX ANDORA ! IL EN A BESOIN ! DIS NOUS-EN PLUTÔT DAVANTAGE SUR CE GOUFFRE !

CITÉ MORGANE ?... CITÉ MORGANE ... ÇA ME DIRAIT BIEN QUELQUE CHOSE ...

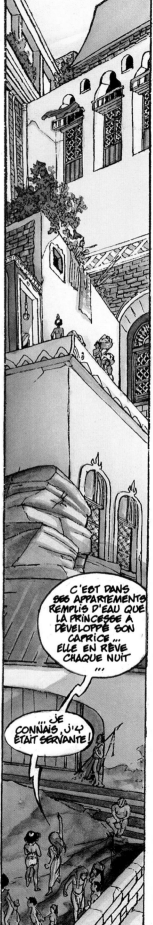

C'EST DANS SES APPARTEMENTS REMPLIS D'EAU QUE LA PRINCESSE A DÉVELOPPÉ SON CAPRICE ... ELLE EN RÊVE CHAQUE NUIT ...

JE CONNAIS ... ÉTAIT SERVANTE !

TU AS RAISON, NAOMI. ALLONS CONTEUR, OUBLIE-MOI, JE NE SUIS PAS FACILE ! DORS UN PEU, JE VAIS PROMENER UN PEU TON ANGE GARDIEN !

LÀ ! MA GRANDE, TU VOIS CE PALAIS, EN HAUT DES MURS ?...

6

RÉQUISITIONNÉE , COMME TOUS LES ESCLAVES EN SURNOMBRE ! VOS GARDES ONT DÛ REGRETTER LEURS ÉGARDS EN APPRENANT VOTRE DESTINATION FINALE ...

MÉMOIRE ?! LE CONTEUR ...

...VA BIEN ! JE VENAIS JUSTE D'ENTENDRE L'HISTOIRE D'ODELUNE SERIET , PRINCESSE HÉRITIÈRE DU CLAN DEGGEY DU NORD DONT JE NE CONNAIS QUE LA DATE DE NAISSANCE ... UNE LACUNE ...

ALORS, SACHE QU'ODELUNE POSSÈDE POUR NOTRE MALHEUR UN PÈRE FAIBLE ET UNE ÂME DE POISSON ...

ELLE RÊVE DE TRANSFORMER CE PAYSAGE ARIDE EN MONDE LACUSTRE . DEPUIS , TOUS LES ESCLAVES CREUSENT UN PUITS AU FOND DE LA CITÉ MORGANE , AU-DELÀ DU QUARTIER DES ES ...

MAIS ALORS ... QUE FAIS-TU LÀ ?

LA FEMME - AU-PENDULE ! L'EAU ATTIRE SA MÉDAILLE , CHAQUE JOUR ELLE VIENT SONDER CE PUITS ! VIENS VITE !

FAIS-TOI GRANDE ! ON A UNE CHANCE DE VOIR !

LA PARTIE NORD DE LA CITÉ MORGANE ...FORMÉE DE NOTRE FUTUR QUARTIER : CELUI DES SERFS ...

ET CETTE PORTE MONSTRUEUSE ?

LA PORTE ? ELLE NE S'OUVRE QU'AU PASSAGE D'UN SEIGNEUR OU D'UNE DAME DEGGEY ...

ON DIT AUSSI QU'ALORS ELLE S'OUVRE TOUTE SEULE... ELLE DONNE EN TOUT CAS SUR LA VRAIE CITÉ-MORGANE !...

...LES RUINES, LE PUITS ET LE TEMPLE SACRÉ, TERRITOIRE ATTITRÉ DE MORGANE, LA BIENFAITRICE DU PAYS DISPARUE IL Y A DES SIÈCLES ...

LA MÈRE-AU-PENDULE EST PASSÉE ! FERMEZ L'HUIS !

ANDORA, JE RETOURNE AUPRÈS DU CONTEUR, LOIN DE LUI J'AI PEUR POUR SA VIE...

PAS SI VITE MA BELLE! SI JE NE ME TROMPE PAS, TE VOILÀ UN AUTRE RENDEZ-VOUS!... LES GARDES DU PALAIS!

DONNE-NOUS CET ANIMAL!

NON!

NE RÉPONDS PLUS JAMAIS AINSI À UN GARDE DEGGEY, ESCLAVE! TU JOUERAIS TA VIE!

TU ES FOLLE!? TU AURAIS PU TE RETROUVER DANS LE MÊME ÉTAT QUE TON CONTEUR! UNE MÉMOIRE NE RESTE PAS AUX MAINS D'UNE ESCLAVE!

... TU NE COMPRENDS PAS...

AVEC LA MÉMOIRE AUPRÈS DE MOI, J'AVAIS MOINS PEUR DE L'AVENIR QUE NOUS RÉSERVAIT SHÉMÉNIT...

9

CE MATIN LA PRINCESSE ODELUNE A ENCORE FAIT UN CAUCHEMAR... ELLE EST TOUJOURS TRÈS CAPRICIEUSE APRÈS ÇA...

ELLE EXIGE ALORS DES MÉCANISMES CONFITS D'EAU, DÉGOULINANTS DE FLOTTE...

DES CLYSTÈRES ...

DES JOUETS HYDROLIQUES !

... COMME SI J'EN AVAIS LE LOISIR, MOI !

LE TEMPS DE LA PLEINE LUNE DE LA NOUVELLE SAISON APPROCHE ! JE DOIS TROUVER LE SECRET AVANT ! HEUREUSEMENT QUE TU ES LÀ, TOI ... TU LA DISTRAIRAS ...

DU CALME ! JE VEUX JUSTE DE LIMER ONGLES ET DENTS !

N'Y TOUCHEZ PAS !

JE LA VEUX... ENTIÈRE !

IMBÉCILE ! TROUVEZ-MOI PLUTÔT DES GRAINES ET DES FLEURS D'EAU, MON BASSIN INTÉRIEUR SE DÉPEUPLE...

VIENS LÀ, TOI...

FAITES ATTENTION, PRINCESSE ! AU ROYAUME ASSENDITE ELLE EST SACRÉE... MAIS ELLE N'EN POSSÈDE PAS MOINS DES ONGLES PUISSANTS !...

SI ELLE EST SACRÉE, ELLE ME SAIT DE SANG ROYAL...

DONC, JE NE CRAINS RIEN !

IL PARAÎT QUE TU PARLES ?

DIS-MOI, PRINCESSE... À TE VOIR, UNE QUESTION ME TROTTE EN TÊTE : SUIS-JE TON INVITÉE, OU TON FUTUR JOUET ?

HI ! HI ! ELLE PARLE !

POUR RÉPONDRE À TA QUESTION... DISONS QUE TÜ SERAS MON ANIMAL FAVORI... C'EST CELA ! MA FAVORITE !

HUM...

ET VOILÀ ! TERMINÉE LA FÊTE DE LA LUNE NOIRE !

TU AS VU LES JALOUX ? JE SUIS LA SEULE À POSSÉDER UNE MÉMOIRE !

QUEL SUCCÈS !

OH ! JE ME SUIS QUAND MÊME BIEN ENNUYÉE !

À TA GUISE PRINCESSE ! TOI, TU T'ENNUIES... MES AMIS, EUX, VONT MOURIR !

ENCORE EUX ! DEUX JOURS QUE TU ME BASSINES AVEC TON MALHEUREUX CONTEUR ET CETTE PAUVRE FILLE ! ARRÊTE DE PLEURNICHER ! ILS NE VONT PAS MOURIR, ILS ME CREUSENT JUSTE UN PUITS !

C'EST BIEN CE QUE JE DIS : LE CONTEUR MOURRA AU FOND DE CE TROU ET NAOMI Y DEVIENDRA FOLLE, TOUT ÇA POUR TE TROUVER UN PEU D'EAU... AVEC LAQUELLE TU JOUES !

TAIS-TOI ! TU NE SAIS RIEN ! C'EST MOI QUI VAIS DEVENIR FOLLE SANS CETTE EAU QUE JE SENS PROCHE ! SUR MA VIE IL ME LA FAUT ! ...

...ET DE TOUTE FAÇON, IL EST TROP TARD : À L'HEURE QU'IL EST, ILS SONT ENTRÉS EN CITÉ MORGANE...

MATRICULE 89544... DÉJÀ INSCRIT!

NOTÉ! ALLONS PRESSONS! C'EST PAR LÀ QUE ÇA SE PASSE, MA FILLE!

UN INSTANT, JEUNE FILLE! NOUS GAGNERONS DU TEMPS À NOUS ACCORDER TOUT DE SUITE SUR CERTAINS SUJETS!

... NAOMI, N'EST-CE PAS ?... LES NOUVELLES VONT VITE ICI !... HA ! TU AS DEVANT TOI KER, LE PLUS PUISSANT DES CHEFS DES ESCLAVES ! MÊME LES GARDES DEGGEY ME RESPECTENT ! ...

QUAND J'AI SU PARMI NOUS UNE FILLE DE MON PEUPLE, MON SANG S'EST FIGÉ DE COLÈRE ! AUSSI T'ACCORDERAI-JE SANS DÉLAI MON AIDE PERSONNELLE ET MA PROTECTION ! À MES CÔTÉS TU NE CRAINDRAS PLUS NI COUPS, NI PRIVATIONS !

... ALORS ?

ELLES SONT BELLES TES PROMESSES ... MAIS QU'ATTENDS-TU DE MOI POUR **NOUS** METTRE SOUS TA PROTECTION ...

BAH ! RIEN QU'UNE VRAIE FEMME NE PUISSE DONNER !

ARRÊTE DE LUI CRACHER TES INSULTES À LA FIGURE !

TU AS DE LA CHANCE MORIBOND ! ...

LÂCHE-LE !!

...JE NE DISCUTE JAMAIS AVEC UN HOMME À TERRE : CELA MANQUE DE SAVEUR !

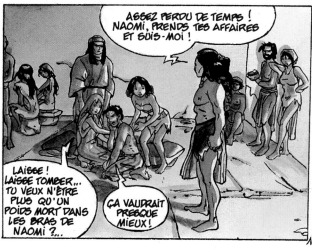ASSEZ PERDU DE TEMPS ! NAOMI, PRENDS TES AFFAIRES ET SUIS-MOI !

LAISSE ! LAISSE TOMBER... TU VEUX N'ÊTRE PLUS QU'UN POIDS MORT DANS LES BRAS DE NAOMI ?...

ÇA VAUDRAIT PRESQUE MIEUX !

MES AFFAIRES RESTENT ICI, DE MÊME QUE MOI ! VA-T'EN, KER, AVANT D'INSULTER PLUS AVANT TA PROPRE RACE !

12

ON N'A JAMAIS MÉPRISÉ MES OFFRES, FILLETTE ! TU M'OBÉIRAS !

BAS LES PATTES !

LE COURAGE, LA LOYAUTÉ, LE RESPECT D'AUTRUI, ÇA CE SONT DES QUALITÉS TARMÉNIS ! TOI, TU N'EN ES PLUS UN ! OUI... TON SANG EST CELUI D'UN ÉTRANGER ET TA MÉMOIRE EST MORTE. JE NE PEUX QUE CHANTER LE CHANT DES DÉFUNTS EN TON HONNEUR !

LES FEMMES, EN RANG ! C'EST L'HEURE !

ALLONS, LA FOLLE, ON NOUS CONDUIT AUX DOR-TOIRS !

VEILLE SUR LE CONTEUR, L'HOMME... S'IL TE PLAÎT !

13

ÇA VA CHEF ?

CE N'EST RIEN, DE VIEUX SOUVENIRS ... MAIS IL NE SERA PAS DIT QU'UNE GAMINE AURA LE DERNIER MOT. AMENEZ-LA MOI CETTE NUIT !

D'APRÈS MAKHANA, ELLE DORT PRÈS DU MUR DU FOND,...

AH OUI. ENCORE QUELQUE CHOSE DE SIMPLE ! JE DÉTESTE CES OPÉRATIONS NOCTURNES !

BAH, LES FEMMES NE DIRONT RIEN : AVEUGLES ET SOURDES DANS LEUR INTÉRÊT ! ET LES GARDES FAVORISENT KER : ILS NE BOUGERONT PAS !

PAS SI SÛR ...J'AI UN PRESSENTIMENT ... KER DEVIENT TROP PUISSANT AUX YEUX DES GARDES ... CETTE FILLE SERAIT LE PIÈGE IDÉAL !

KER N'EST QU'UN INSTINCTIF QUI A SU UTILISER SA CHANCE, ET CE NE SERA PAS LA DERNIÈRE FOIS QU'IL PERD L'ESPRIT POUR UNE FEMME ! CALME-TOI !

ME CALMER ?! CETTE FOIS, LES GARDES NE LUI ONT PAS SERVI LA TAMENI SUR UN PLATEAU, COMME D'HABITUDE !

.. NON, ÇA SENT LE COUP FOURRÉ !

CHUUT ! LA VOILÀ !

? ?!

14

16

QU'ON LEUR FASSE PRENDRE L'AIR, ILS Y SERONT AU FRAIS POUR MÉDITER LES RÈGLES ET L'ORDRE DE LA CITÉ MORGANE !

QUANT À LEUR CHEF, IL VA ENFIN APPRENDRE À RECONNAÎTRE SA VRAIE PLACE : CELLE D'UN ESCLAVE !

EMPAREZ-VOUS DE CES DEUX LARBINS !

UN COUP FOURRÉ ! C'ÉTAIT UN COUP FOURRÉ !

GUEULES PAS, T'AMUSES JUSTE LA GALERIE : LES CONCURRENTS DE KER RICANENT CE SOIR : ILS ESPÈRENT SA PLACE !

IL PARAÎT QUE MA PRÉSENCE TROUBLAIT L'ORDRE DANS LE DORTOIR...

LE CONTEUR À L'INFIRMERIE, MOI EN CELLULE ... LOUÉE SOIT LA LUTTE DE POUVOIR ENTRE CES HOMMES . ELLE SEULE NOUS A MIS À L'ABRI...

ELLE SEULE ... QUELLE IRONIE DU SORT ! ...

MORGANE, JE TROUVERAI TON SECRET ! LES PROPHÉTIES LE DÉVOILENT, LES ASTRES LE DISENT, LES FAITS LE PROUVENT, TON UNIVERS VA REVIVRE !

D'IMBÉCILES GAMINES IDOLÂTRENT ET CHERCHENT DÉJÀ L'EAU QUI T'EST CHÈRE...QUOIQUE CELA M'OBLIGE À DE SOTTES INVENTIONS ...ON NÉCESSAIRE DE NATATION '''

PFF !

'' NON ...JE DÉTESTE ...

...JE HAIS...

'' LA FLOTTE ... LES VAGUES GLACÉES !! '''

TU AIMERAS !

MISÈRE ! TU VEUX DONC TRUCIDER LA DERNIÈRE MÉMOIRE ?!

JE VEUX LA VOIR NAGER ! TU VAS FLOTTER COMME UNE FEUILLE MORTE GRÂCE À L'APPAREIL DU SAVANT !

UNE FEUILLE MORTE ! C'EST SÛR ! ROUSSE, FROIDE ET GONFLÉE D'EAU ! À L'AIDE !

AU SECOURS ! ELLE SE NOIE !!

16

CES PASSAGES SECRETS SOUS LE PALAIS SONT DÉCIDEMENT GRANDIOSES ! IL SERAIT SAGE D'EN DÉVOILER L'ACCÈS À QUELQUE DISCIPLE DE CONFIANCE ... ALORS, VOYONS CE TOMBEAU ...

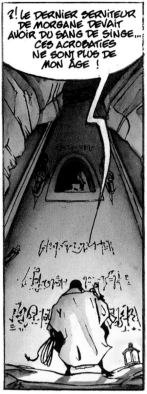

?! LE DERNIER SERVITEUR DE MORGANE DEVAIT AVOIR DU SANG DE SINGE... CES ACROBATIES NE SONT PLUS DE MON ÂGE !

... HUMP ! CE N'EST PLUS UNE TOMBE MAIS UN OSSUAIRE ! AH ! VOICI LE MESSAGE QUE JE CHERCHE ...

IL ÉDIFIA SON CHANT DE GLOIRE EN SOUVENIR ET EN ATTENTE DE LA GRANDE MAÎTRESSE, PRÈS DE L'ENDROIT OÙ AVEC L'EAU SOMBRA LA MÉMOIRE DES GENS ET DES CHOSES ...

QU'ELLE NE SE RÉVEILLE PLUS ET VOUS FINIREZ AU PUITS DE MORGANE, PAUVRES INCAPABLES !

MÉMOIRE ! J'AI EU PEUR ! JE FERAI PUNIR CE STUPIDE SAVANT ! JE ...

LE MALHEUREUX ! PRINCESSE, LAISSEZ-MOI VOUS RACONTER UNE HISTOIRE ...

17

JE ... NE SAIS PLUS ... J'AI ... J'AI PERDU LA MÉMOIRE !

19

J'AI RENVERSÉ
L'EAU... LE CONTEUR
A ENCORE ÉTÉ PUNI
À MA PLACE !... QUEL
ENFER !... QU'EST-CE,
LÀ-BAS ?

AH !
C'EST
TOI...
TU
PRENDS
L'AIR ?
...

AH ! LA PRINCESSE
ODELUNE SE
DÉCIDE À FAIRE
UNE SORTIE ?
ELLE VA SANS
DOUTE HANTER
LE TEMPLE
DE MORGANE,
À DEUX PAS D'ICI,
COMME À
SON HABITUDE
...

HÂTONS-NOUS !...
PLUS LES JOURS
PASSENT, PLUS LES
GARDES DEVIENNENT
NERVEUX !

JE N'AIME PAS CE
TROU ... C'EST
MACABRE !

BAH !... DANS UNE
SEMAINE, TU AURAS
MOINS D'IMAGI-
NATION !

MÊME DANS UN AN,
CE GOUFFRE RESTERA
UN TOMBEAU, ET
PAS SEULEMENT POUR
DES DIZAINES
D'ESCLAVES !

18

LE TEMPS PASSE TROP VITE ET POURTANT LES CHOSES SONT FIGÉES ... COMME MENAÇANTES ... OU PROMETTEUSES ...

EXCUSEZ-MOI, PRINCESSE, MAIS QU'ENTENDEZ-VOUS PAR LÀ ?

VOYONS !! TOUT LE MONDE RESSENT CE QUE JE VIENS DE VOUS DIRE ... MÊME LES ESCLAVES ! IL FAUT ABSOLUMENT QUE JE TROUVE L'EAU AVANT ... AVANT QUE TOUT NE CHANGE ...

ET VOUS QUE CHERCHEZ-VOUS ? ...

EUH ...

LE TEMPLE !! ENFIN ! MÉMOIRE, VOICI DE QUOI TE RENDRE TES SOUVENIRS !

REGARDE CES PIERRES ! CE TEMPLE EST PRESQUE AUSSI VIEUX QUE MORGANE ET RACONTE SON HISTOIRE ...

"C'était une Princesse, elle, une vraie, hommes et bêtes l'adoraient comme une déesse " Elle savait la magie, charmait même les pierres et l'eau ...

"... Née d'une sirène et d'un homme, la mer et ses créatures comptaient plus pour elle que toute autre chose ...

"... Morgane avait fait de ce pays une suite magnifique d'îles vertes et fraîches posées sur l'eau bleue d'une immense mer intérieure. Les peuples des îles vécurent en paix sous la protection de la magicienne ...

"... JUSQU'À CE QUE LES HOMMES SE METTENT À CHASSER LES CRÉATURES DES MERS ! ..."

ELLE SAIT RÉCITER SES LÉGENDES, CETTE PETITE ... MAIS CELA NE DONNE PAS LE FIN MOT DE L'HISTOIRE ! "Il édifia son chant de gloire en souvenir et en attente de la grande maîtresse ..."

QUI EÛT INSCRIT UNE TELLE ÉPITAPHE DANS UN OSSUAIRE DE CATACOMBE, POUR QUELQUES PIERRES ET QUELQUES FRESQUES ?... NON, IL Y A AUTRE CHOSE ICI... UN MESSAGE, UN SIGNE DISCRET ! ...

L'eau rougit entièrement durant deux jours, et Morgane entra en grande colère à la vue d'un tel massacre ...

?!

Le 3° jour, les eaux, à son commandement se creusèrent en tourbillon et disparurent de la surface du sol par un gigantesque puits naturel formé grâce à la magie ...

... et à la suite des flots, s'y engouffrèrent toutes les créatures marines jusqu'aux plus gigantesques - En dernier lieu, Morgane elle-même, s'y jeta, en criant à ses fidèles qu'un jour, en d'autres temps, elle reviendrait ...

LE MESSAGE CACHÉ !!

VOILÀ LE SIGNE ! ...LÀ...ET, ICI ! LÀ-BAS !

LÀ FINIT LA LÉGEN- DE ...

MAIS ELLE REVIENDRA BIENTÔT, MÉMOIRE, ET MÊME SI JE NE SAIS PAS ENCORE SOUS QUELLE FORME, JE VEUX RETROUVER L'EAU POUR QUE CE PAYS REDEVIENNE SIEN ...

MAIS OÙ DONC L'AI-JE DÉJÀ VU ?... AU PALAIS ?... MA PAUVRE MÉMOIRE PART À VAU-L'EAU !

SAVANT !

POURRIEZ-VOUS SAVOIR À QUOI RESSEMBLERAIT MORGANE SI ELLE REVENAIT ?

?! HEU...

...NON... NON, PRINCESSE ... QUOIQUE ...

PRINCESSE ... QUI ACCOMPAGNAIT L'EXTRAORDINAIRE ANIMAL QU'EST LA MÉMOIRE ?... UNE FEMME ?

OUI ! UNE FEMME ...

23

ALORS, LA MÈRE? DEPUIS QU'ON A ATTEINT CETTE NOUVELLE COUCHE DE TERRE HUMIDE, VOTRE PENDULE ET VOTRE RÉPUTATION SONT AU-DESSUS DE TOUT SOUPÇON... ON RESPIRE?

NE PLAISANTE PAS, CAPITAINE! NOUS VOILÀ TOUS ÉNERVÉS PAR CETTE DÉCOUVERTE... L'EXPLOSION EST PROCHE!

ÇA VA, NAOMI?

C'EST PLUTÔT À TOI QU'IL FAUDRAIT DEMANDER ÇA...

ÇA POURRAIT ÊTRE PIRE! CES MESSIEURS ME RACCOMPAGNENT GENTIMENT À L'INFIRMERIE TOUS LES SOIRS... TRAITEMENT DE FAVEUR!

ENCORE LÀ, VOUS DEUX?! VOUS N'AVEZ PAS ASSEZ TRAVAILLÉ?

POUR MIEUX TE FRAPPER LE JOUR DURANT... ON NE VA PAS MOURIR DANS CE TROU, DIS?

QUE NON, NAOMI! J'AI ENCORE TROP D'HISTOIRES À RACONTER, ET TU SERAS L'HÉROÏNE DE LA PLUS BELLE...

... MAIS JE NE VOUDRAIS TE LA CONTER QU'EN D'AUTRES LIEUX, AVEC UN CORPS INTACT ET UN ESPRIT JOYEUX!

TU REMONTES SANS MOI ! J'AI ENCORE OUBLIÉ CETTE MAUDITE GOURDE AU FOND... JE NE TARDERAI PAS !

LA FILLE EST IRRÉCUPÉRABLE ! JE LA MATERAI BIEN MAIS L'ON NOUS RECOMMANDE DE LA MÉNAGER : L'ORDRE VIENDRAIT DE HAUT ! C'EST À N'Y RIEN COMPRENDRE !

HI HI HI ! CELA NE M'ÉTONNE GUÈRE ! PEU SONT INITIÉS ...MAIS QU'UNE FILLE ARRIVE ICI ACCOMPAGNÉE D'UN ANIMAL SACRÉ, CELA SE REMARQUE ! ET L'ON PREND SES PRÉCAUTIONS ...

...ON A D'AILLEURS RAISON, GARDIEN ...CE SOIR EST LE SOIR DE LA PLEINE LUNE. AS-TU REMARQUÉ COMBIEN LA LUMIÈRE EST FUNÈBRE SOUS LES NUAGES DU COUCHANT ?

...UNE LUMIÈRE DE FIN DU MONDE ...

DIEUX DU CIEL !! CE N'EST PAS VRAI !

23

LA GIGANTESQUE CARCASSE D'UN MONSTRE ! NOUS CREUSIONS DANS LE SEIN D'UN FOSSILE SANS MÊME LE SAVOIR ! ... CET ENDROIT EST MORT DEPUIS DES MILLÉNAIRES !

FINI ... LE SOLEIL A DÛ SE COUCHER ...

24

ÉCOUTE! SAIS-TU AU MOINS CE QUE TU SURVEILLES LA NUIT, OÙ TU DESCENDS LE JOUR? J'AI VU, GARDE, J'AI VU...

FOLLE!

SI LES ESCLAVES DÉLIRENT À PRÉSENT, NOUS SOMMES VÉRITABLEMENT PERDUS! VAS DONC REJOINDRE LES AUTRES, TU Y TROUVERAS D'AUTRES ÉMOTIONS FORTES!

QU... QUOI?!

CONTEUR!?

CONTEUR...

AH, C'EST TOI NAOMI, RESTE DONC DERRIÈRE MOI... JE NE VEUX PAS QU'IL TE TOUCHE, ET AUJOURD'HUI, JE NE RESTERAI PAS COUCHÉ À SES PIEDS!

MAIS QUE RACONTES-TU LA?!

VOIS-TU, JE CROIS QUE LES DESGEY NOUS MANOEUVRENT COMME DES MARIONNETTES ET S'OFFRENT UN SPECTACLE ET UN TEST...

...EN LE RELÂCHANT, CE SOIR... MAIS NOUS ALLONS TOUT DE MÊME LES CONTENTER, N'EST-CE PAS, KER?

AVEC PLAISIR, FUMIER!

27

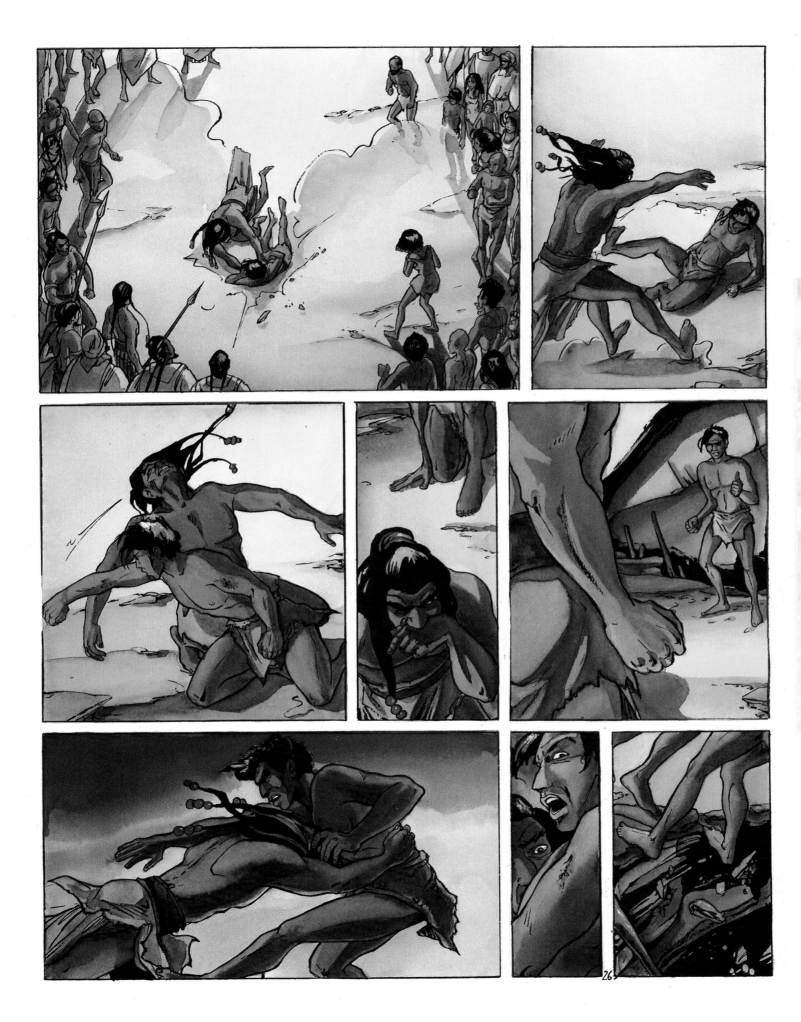

26

CONTEUR !

MAIS RATTRAPEZ-LA !

QUEL INSENSÉ A ORGANISÉ CETTE RENCONTRE ENTRE KER ET LE CONTEUR ? SI CETTE FILLE EST BIEN CE QUE CERTAINS CROIENT VOIR EN ELLE, LA FUREUR DES CIEUX SERA SUR NOUS !

ALLONS, PLEUTRES ! QUELQU'UN POUR ALLER VOIR !

LA NUIT EST TOMBÉE, CHEF... PERSONNE NE SE RISQUERA DANS CE GOUFFRE BÉANT SANS LUMIÈRE !

CES TROIS-LÀ SONT SANS DOUTE DÉJÀ MORTS...

29

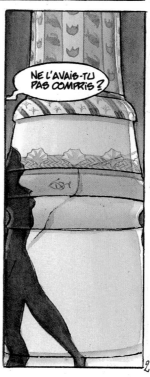

SEPT !

Palais Degrey

SIX POINTS ET UN CENTRE QUI FONT SEPT ... SEPT SIGNES QUI COURENT AU LONG DES MURS DU PALAIS. SEPT MARQUES QUI ATTENDENT D'ÊTRE ENFONCÉES À LA LUNE HAUTE. SEPT ! CHIFFRE MYTHIQUE, ALLIANCE DU 4 TERRESTRE ET DU 3 DIVIN ...

SEPT, SYMBOLE DE VIE ÉTERNELLE, INDICE D'UN CYCLE ACCOMPLI ET D'UNE PERFECTION ATTEINTE ! ... C'ÉTAIT ÉVIDENT !

AH, MORGANE ! PUISSES-TU MESURER, AU JOUR DE TON RETOUR, MON DÉVOUEMENT ET MA FERVEUR, AFIN DE ME RÉCOMPENSER SELON MON DÛ ! ...

AH ! DIEUX !

LA NUIT !

LA LUNE MONTE DÉJÀ !

ET J'AI UN MÉCANISME À ENCLENCHER, EN SUS D'UNE JEUNE FILLE À PROTÉGER !

SI ELLE EST MORGANE, QU'ELLE ME PARDONNE D'AVOIR TANT TARDÉ !

IL FAUT AGIR, GARDE ! NOUS DEVONS SAVOIR CE QUI SE PASSE AU BAS DE CETTE SCÈNE OBSCURE... LA LUNE EST HAUTE !

ALLEZ CHERCHER DES TORCHES !
...

JE DESCENDRAI
...

CONTEUR !

CONTEUR
...

JE SUIS LÀ, NAOMI, TOUT VA BIEN... LES BRANCHAGES ET LES CORDES ONT TENU BON
...

MES MAINS AUSSI... ELLES N'ONT QUE DÉPOSÉ DE LA PEAU ET DU SANG AU LONG DES ÉCHAFAUDAGES.

KER N'A PAS EU CETTE CHANCE !

JE N'EN SUIS PAS SÛR, MAIS IL SEMBLE QUE CE PUITS LUI FERA OFFICE DE MAUSOLÉE.

QUE NON ! CET ENDROIT ÉTAIT UN CADAVRE BIEN AVANT D'ÊTRE UN MAUSOLÉE.

D'AIL-LEURS, TU ES ASSIS SUR UNE VER-TÈBRE.
...

NAOMI, TU CONNAIS LA LÉGENDE DE MORGANE ?

COMME TOI, DES BRIBES... DES RUMEURS CIRCULENT ICI... POURQUOI CETTE QUESTION ?

LES DIEUX SEULS SAVENT QUELLE PLACE NOUS Y EST ASSIGNÉE MAIS JE CROIS BIEN QUE LE MYTHE REPREND VITE...

...EN CE CAS, QUE CE CADAVRE DE MONSTRE BAIGNE CE SOIR DANS DE LA FLOTTE N'AURAIT PLUS RIEN D'ÉTONNANT !

QUE... QUE CHERCHES-TU À ME FAIRE COMPRENDRE ?

J'AI ENTENDU LE BRUIT QU'A FAIT KER EN ATTERRISSANT EN BAS, TOUT À L'HEURE... UN SON MOUILLÉ, UNE BOUE ÉPAISSE...

L'EAU EST LÀ, NAOMI !

ET ELLE MONTE, CAR LA LUNE EST PLEINE, ET QUE LA SAISON CHANGE CETTE NUIT: QUELQUE PART SOUS NOS PIEDS, UNE MER INVISIBLE SUBIT SA PLUS FORTE MARÉE DU SIÈCLE...

CELA FERA UN BEAU CONTE SI NOUS SORTONS D'ICI UN JOUR...

31

FAITES PLACE PAUVRES CLOWNS !

UN !

L'EAU ! ...

PRINCESSE ! EST-CE LÀ, LA FIN DU MONDE QUE VOUS AVEZ PROMISE ? ...

NON, NON ... JE NE SAIS PAS ! L'IMPORTANT EST AILLEURS ... IL FAUT ALLER AU PUITS !

32

ALLONS, MÉMOIRE, ACCOMPAGNE-MOI, TU POURRAS CLASSER CETTE NUIT DANS TES ARCHIVES !

LE PALAIS S'EFFONDRE ! SORTONS D'ICI !

IL FAUT ARRÊTER CE VIEUX FOU !

LE VOILÀ ! IL COURT VERS LES SALLES ROYALES !

PAR ICI ! NOUS ALLONS L'EMPÊCHER DE NUIRE !

TOUT VA TOMBER !

ON TE TIENT, SAVANT !

ATTRAPEZ-LE !

CELA SUFFIT !

POUR QUELQUES FISSURES AUX MURS, VOUS VOILÀ ENRAGÉS ! PENDANT CE TEMPS, MA FILLE BIEN-AIMÉE PEUT BIEN DISPARAÎTRE !

ET NE REVENEZ PAS SANS ELLE ! VOUS AVEZ DÉJÀ GÂCHÉ LA CÉRÉMONIE PAR VOTRE ATTITUDE. NE GÂCHEZ PAS VOTRE AVENIR EN M'IRRITANT DAVANTAGE !

... ALLEZ DONC PLUTÔT FAIRE DES RECHERCHES POUR RETROUVER ODELUNE ...

DEUX !

33

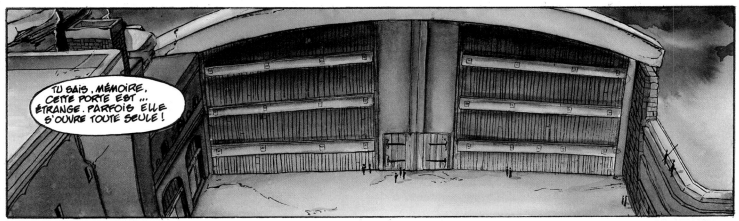

34

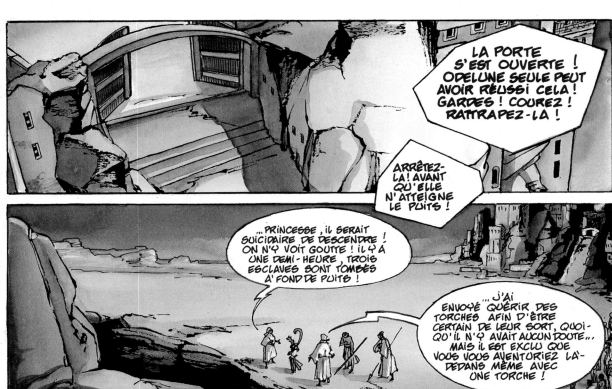

LA PORTE S'EST OUVERTE ! ODELUNE SEULE PEUT AVOIR RÉUSSI CELA ! GARDES ! COUREZ ! RATTRAPEZ-LA !

ARRÊTEZ-LA ! AVANT QU'ELLE N'ATTEIGNE LE PUITS !

CE BRUIT... LA GRANDE PORTE DE LA CITÉ MORGANE !!

...PRINCESSE, IL SERAIT SUICIDAIRE DE DESCENDRE ! ON N'Y VOIT GOUTTE ! IL Y A UNE DEMI-HEURE, TROIS ESCLAVES SONT TOMBÉS AU FOND DE PUITS !

...J'AI ENVOYÉ QUÉRIR DES TORCHES AFIN D'ÊTRE CERTAIN DE LEUR SORT, QUOIQU'IL N'Y AVAIT AUCUN DOUTE... MAIS IL EST EXCLU QUE VOUS VOUS AVENTURIEZ LÀ-DEDANS MÊME AVEC UNE TORCHE !

VOUS VOULEZ RIRE, CAPITAINE ! M'INTERDIRE QUELQUE CHOSE, À MOI, ODELUNE SERIET, HÉRITIÈRE DEGGEY... VOUS N'OSEREZ PAS, ET J'AI UN RENDEZ-VOUS QUE JE NE DOIS PAS MANQUER... ALORS...

NOTRE RÉPIT EST TERMINÉ ! QUELQU'UN VIENT, IL ME SEMBLE...

LÀ !

MÉMOIRE ?!

PARDONNEZ-MOI D'AVOIR TANT TARDÉ, MAIS UNE MÉMOIRE, ÇA ÉCOUTE, ÇA N'AGIT PAS !

VOICI DONC CES AMIS SI CHERS, DONT LE SORT PRÉOCCUPAIT TANT LA MÉMOIRE... AH !

MAIS NOUS N'AVONS PAS LE TEMPS DE BAVASSER ! VOUS ALLEZ M'AIDER !

QUA-TRE !

ALORS ?

CAPITAINE ! AVEZ-VOUS VU LA PRINCESSE ?

SI ELLE EST PASSÉE, VOUS AURIEZ EU TOUT INTÉRÊT À L'AVOIR ARRÊTÉE !

ODELUNE EST DESCENDUE DANS LE PUITS, MALGRÉ MES AVIS. J'AI ENVOYÉ CHERCHER DES TORCHES POUR LA SUIVRE. EN ATTENDANT, J'AVAIS TOUT UN GROUPE D'ESCLAVES NERVEUX À SURVEILLER ET À FAIRE RENTRER !

CINQ !

S'IL EST ARRIVÉ MALHEUR À LA PRINCESSE, VOUS AUREZ TOUS À EN PÂTIR !!

LES GARDES DE MON PÈRE... CEUX-LÀ N'HÉSITERONT PAS À DESCENDRE... VENEZ !

C'EST LÀ QU'IL FAUT CREUSER ! S'ILS N'ONT PAS DE TORCHES EN HAUT, ILS EN AURONT BIEN LAISSÉ ICI-BAS !

ÇA SUFFIRA !

36

SIX !

CETTE IMPRESSION DE DÉJÀ VU ! IL NE MANQUE PLUS QUE LIDA ! *

* VOIR TOME I

PRINCESSE, À QUOI RIME CETTE EXPÉDITION ? OÙ NOUS EMMENEZ-NOUS ?

... CET ENDROIT ME DONNE LA CHAIR DE POULE ... ON LE CROIRAIT VIVANT ...

CESSEZ DE DISCUTAILLER ... VOUS RALENTISSEZ LA MARCHE ET VOUS M'AGACEZ, L'HEURE EST POURTANT ASSEZ GRAVE !

SI VOUS VOULEZ RETOURNER SUR VOS PAS, LIBRE À VOUS ! MAIS LES GARDES VOUS TUERONT PROBABLEMENT POUR M'AVOIR LAISSÉE SEULE !

? ! RESTEZ OÙ VOUS ÊTES !!

ÇA SE COMPLIQUE ... À PARTIR DE MAINTENANT, UN PAS DEVANT L'AUTRE ET JAMAIS UN ÉCART À CÔTÉ !

QUOI ? QUE ...

CHUT ... C'EST DE L'EAU ... DE L'EAU À PERTE DE VUE ...

37

TANT D'EAU

... ALORS QU'ELLE ÉTAIT SI RARE À LA SURFACE

... HUM... ELLE EST PURE ET FROIDE COMME DU CRISTAL LIQUIDE ...

PURE COMME DU CRISTAL. HEIN ?! ODELUNE, TRÊVE DE PLAISANTERIE ! D'OÙ TIENS-TU CE SAVOIR ?

TU T'ES DIRIGÉE DANS CES DÉDALES DE ROCHES SANS UNE HÉSITATION !

JE... NE SAIS PAS... JE SENTAIS LA PRÉSENCE DE L'EAU ...C'EST TOUT ...

SELON MES PROPRES OBSERVATIONS, ODELUNE N'EST PAS LA SEULE À AVOIR UN ÉTRANGE COMPORTEMENT... LE SAVANT AUSSI ! UNE FORCE SEMBLE LES FAIRE AGIR À LEUR INSU ...

TAISEZ-VOUS !

ÉCOUTEZ... LES ROCHES ...

ELLES VIBRENT !

39

41

41

43

47

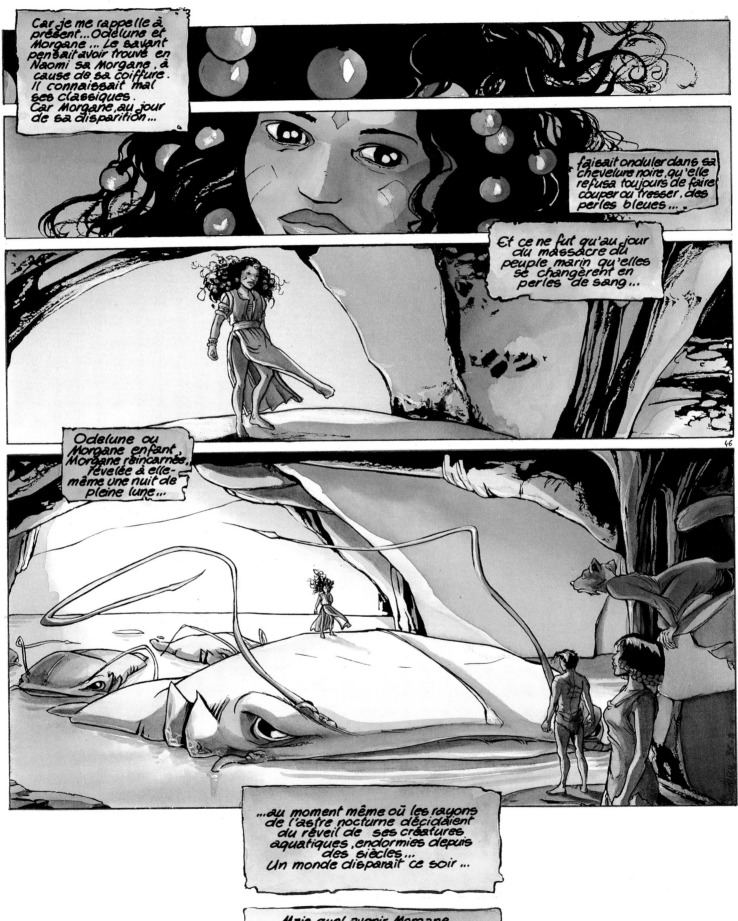

Car je me rappelle à présent... Odelune et Morgane... Le savant pensait avoir trouvé en Naomi sa Morgane, à cause de sa coiffure. Il connaissait mal ses classiques. Car Morgane, au jour de sa disparition...

faisait onduler dans sa chevelure noire, qu'elle refusa toujours de faire couper ou tresser, des perles bleues...

Et ce ne fut qu'au jour du massacre du peuple marin qu'elles se changèrent en perles de sang...

Odelune ou Morgane enfant, Morgane réincarnée, révélée à elle-même une nuit de pleine lune...

46

...au moment même où les rayons de l'astre nocturne décidaient du réveil de ses créatures aquatiques, endormies depuis des siècles... Un monde disparaît ce soir...

Mais quel avenir Morgane nous réserverait-elle dans son nouvel univers ?